LES minions

Cherche et trouve

Textes : Trey King

Illustrations : Fractured Pixels

hachette
JEUNESSE

Dépôt légal : juin 2015 - Edition 02.
Achevé d'imprimer en juillet 2015 par Pollina Fastline - L2188
Maquette : Nicolas Galy pour noOok.
Loi n°49-956 du 16 juillet 1949 sur les publications destinées à la jeunesse.

L'histoire des Minions débuta à l'aube des temps. Ils apparurent d'abord sous l'aspect de minuscules organismes unicellulaires, puis ils évoluèrent à travers les âges, devenant de plus en plus grands et plus jaunes.

Les Minions ont toujours été à la recherche d'un maître à servir, le plus moche et le plus méchant possible. Et la plupart du temps, ils zigouillaient accidentellement leurs maîtres... Leur quête continue donc encore.

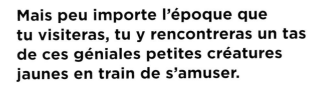

Mais peu importe l'époque que tu visiteras, tu y rencontreras un tas de ces géniales petites créatures jaunes en train de s'amuser.

À toi de chercher, et surtout de trouver les Minions, des animaux bizarres, des objets, et plein d'autres choses encore ! Bonne chance !

C'EST LA FÊTE !

Les Minions furent parmi les premières créatures à fouler la Terre – ce qui veut dire qu'ils inventèrent les barbecues et les fêtes ! Observe ces astucieux et méchants ancêtres des Minions qui passent du bon temps !

À TOI DE TROUVER :

- 1 hippocampe avec une rayure
- 1 poisson jaune
- 12 étoiles de mer
- 1 Minion avec des lunettes orange
- 29 Minions avec un seul œil
- 1 méduse à six tentacules
- 1 méduse jaune
- 1 noix de coco

À TABLE !

Les dinosaures sont des animaux impressionnants qui parcouraient la Terre il y a des millions d'années. La seule chose plus grande qu'un corps de dinosaure... est l'appétit d'un dinosaure ! Et ils ont faim : les Minions leur préparent donc un festin. Ça te dit de te joindre à eux ?

À TOI DE TROUVER :

- 1 Minion qui porte une tunique à pois
- 3 bananes vertes
- 1 dent de dino en or
- 1 tour de Minions
- 11 ptérodactyles (ces dinosaures volants)
- 1 Minion qui lime les ongles
- 1 Minion avec un nœud dans les cheveux

Mammouths laineux, tigres à dents de sabre, hommes des cavernes... On dirait que les Minions connaissent tous ceux (préhistoriques) qui sont cool ! Et ils traînent tous ensemble.

À TOI DE TROUVER :

- 1 Minion grillant un marshmallow
- 1 souris rigolote
- 1 Minion sens dessus dessous
- 1 Minion mangeant du pop-corn
- 1 Minion qui fait du toboggan
- 6 Minions dans des habits à pois
- 1 tortue préhistorique

AU BOULOT !

Construire des pyramides n'était pas une tâche facile – heureusement que les Minions étaient là pour donner un coup de main ! Avec tous ces petits assistants jaunes, cela devrait être fait en un rien de temps – à moins que ce ne soit tout l'inverse...

À TOI DE TROUVER :

- 1 Minion qui se cache
- 1 Minion lisant un livre
- 1 Minion dentiste
- 3 Minions jouant au limbo
- 2 Minions mangeant des sandwiches
- 1 Minion qui prend la pose d'un Égyptien
- 1 nénuphar jaune
- 6 Minions qui ont des marteaux

Oh non ! Ces pirates s'emparent de la cargaison du bateau-banane. Quelle bande de brigands ! Après tout, les pirates sont bien connus pour voler toutes sortes de choses, comme de l'or, des pierres précieuses, des trésors, des princesses mais... des bananes ?!?

À TOI DE TROUVER :

- 7 drapeaux pirates Minions
- 1 message dans une bouteille
- 5 ailerons de requin
- 1 Minion en tenue de plongée
- 1 longue-vue
- 5 souris
- 1 Minion avec une jambe de bois
- 1 Minion portant un bandeau sur l'œil
- 1 Minion avec une moustache
- 12 Minions ayant des épées

17

CHARGEZ !

Pendant une période, les Minions étaient sous les ordres du célèbre chef militaire français Napoléon. Bien sûr, les Minions auraient pu prendre part à une bataille, mais ils ont plutôt choisi de faire les choses à leur manière...

À TOI DE TROUVER :

- 1 jeu de cartes
- 3 Minions qui font des anges dans la neige
- 1 meule de fromage qui roule
- 1 Minion qui se sert d'une raquette pour se battre
- 1 Minion prêt à être propulsé par un canon
- 5 Minions se cachant dans la neige
- 1 étoile rouge
- 1 chapeau à plume bleue

Après avoir tant travaillé, les Minions méritent bien un jour de congé ! Et quelle meilleure façon d'en profiter que de faire des bonshommes de neige, des mesdames de neige et des Minions de neige ?

À TOI DE TROUVER :

- 1 joueur d'harmonica
- 1 otarie qui jongle
- 2 jeux de morpion
- 1 lessive en train de sécher
- 1 Minion qui a sommeil
- 1 yeti portant un bonnet de Père Noël
- 1 glace bleue
- 1 Minion pieds nus

Invasion new-yorkaise !

Cette ville est toujours emplie de touristes provenant des quatre coins du monde, mais ces touristes-là se ressemblent tous ! Les Minions ont envahi la ville qui ne dort jamais. Que vont-ils faire en premier ?

À TOI DE TROUVER :

- 1 Minion mangeant onze hot-dogs
- 2 chiens (normaux)
- 1 Minion qui dirige la circulation
- 3 Minions qui jouent aux billes
- 1 Minion coiffé comme une grand-mère
- 1 Minion portant une moustache
- 1 Minion habillé en hippie
- 3 Minions avec des bananes
- 1 Minion habillé d'une salopette marron

Si tu es à la recherche d'un nouveau maître méchant (ou juste d'un ami diabolique avec qui dévaliser des banques et des magasins de jouets), alors tu es au bon endroit. Fais juste attention à ton portefeuille... Dans cette foule, il y a des chances qu'on te le vole !

Poison

24

À TOI DE TROUVER :

- 1 tête de mort
- 2 Minions mangeant des bananes
- 1 pistolet réfrigérant
- 1 jet pack
- Bob en train de donner sa carte de visite
- 1 Minion habillé d'une salopette verte
- 1 plante carnivore rouge
- 1 Minion avec une crête
- 1 chapeau de cow-boy

Invasion britannique !

Envie de fish-and-chips et d'une tasse de thé ? Alors les Minions sont au bon endroit. À Londres, il y a plein de choses à voir, mais là, les trucs les plus cool à observer sont les Minions !

À TOI DE TROUVER :

- Kevin et Stuart conduisant une mobylette
- 1 Minion joueur de polo chevauchant un chien
- 1 Minion qui téléphone
- 1 Minion avec un chapeau melon
- 1 Minion dans une poubelle
- 1 Minion avec des gants bleus
- 23 Minions avec un seul œil
- 8 oiseaux

Tu penses que c'est déjà fini ? Réjouis-toi : pas encore !

D'autres éléments se sont dissimulés dans ce livre. Reviens sur les pages précédentes pour les chercher, et essaie de trouver ces drôles de Minions ainsi que les bonus.

À TOI DE TROUVER : 1 Minion habillé avec des étoiles de mer

À TOI DE TROUVER :
1 Minion dans un tonneau

À TOI DE TROUVER :
1 Minion en parachute

À TOI DE TROUVER :
1 Minion avec des oreilles de lapin

À TOI DE TROUVER : 1 Minion qui réalise des peintures rupestres

À TOI DE TROUVER :
1 Minion conduisant une voiture

À TOI DE TROUVER : 1 Minion avec un chapeau de chasseur

À TOI DE TROUVER :
1 manège en forme de fusée

À TOI DE TROUVER : 1 Minion avec une épée dans la bouche

À TOI DE TROUVER :
le roi Bob !

Solutions

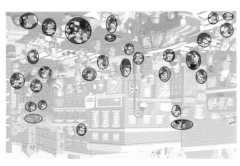

Invasion britannique !

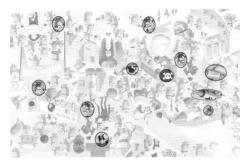

La Foire du Mal !

Invasion new-yorkaise !

Il neige !

Chargez !

À l'abordage !

Au boulot !

Le coin de l'homme des cavernes !

À table !

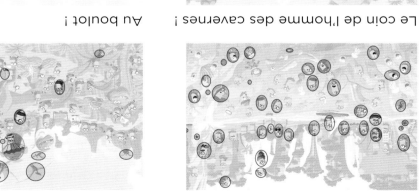

C'est la fête !